Es posible soñar

Por

Adriana Ramírez

Ilustrado por

Santiago Aguirre

Español 4

Twitter: @veganadri
YouTube Channel:
"Teaching Spanish with Comprehensible Input"
adrianaramirez.ca

Copyright © 2020

Adriana Ramírez

ISBN: 978-1-7773368-0-6

Adriana Ramírez

This is a work of fiction inspired in real events.

Esta es una historia de ficción inspirada en eventos reales.

Agradecimientos

Son muchas las personas que me ayudaron en este proceso. Escribir no es un proceso individual. Hay mucha gente detrás de un libro. Gente que te da ánimos, ideas, te escucha, lee lo que escribes, te critica, te da sugerencias, te corrige y cree en ti.

Estas son algunas de las personas que me acompañaron con su paciencia infinita en este proyecto: Alejandro T, Jorge D, María Clara R, Juan Esteban M, Kristi L y Patricia G. También quiero agradecer a mi ilustrador Santiago que es capaz de leer lo que tengo en la mente, y con mucha paciencia materializa en el papel mis ideas.

Índice

Introducción

Colombia, y mi ciudad Medellín, no han tenido una historia fácil. Hemos sido víctimas de una **guerra sin sentido** donde **ha habido** mucho **dolor**, sufrimiento y **heridas** muy **profundas. Sin embargo**, todos estamos dispuestos a **reescribir** nuestra historia, **pues** no queremos que el pasado defina nuestro presente y **mucho menos** nuestro futuro.

La vida nos ha enseñado que podemos reescribirla las veces que **sea** necesario, y que **incluso**, lo que **alguna vez** nos definió, no tiene que ser lo que nos defina el resto de nuestras vidas. La gente de Medellín sabe esto muy bien. Y todos, constantemente, estamos trabajando en escribir una nueva historia para nosotros y nuestra hermosa ciudad. Una historia llena de **esperanza**, música, arte y amor.

La memoria es importante. Conocer y entender nuestro pasado es importante, pues es esto lo que nos ayudará a no **cometer** los mismos

errores en el futuro. Pero no podemos **dejar** que los eventos del pasado se **perpetúen** en nuestra memoria histórica, definiéndonos para siempre.

Parte de ese proceso de reescribirse, es **reclamar** la narrativa que nos **pertenece,** para ser nosotros los que nos definimos y los que **construimos** nuestro ser con nuestras **propias** historias. Cuando se ha sufrido **tanto** y se ha sentido tanto dolor, como ciudad e individualmente, **se cae** en un **estado de pasividad**. El dolor paraliza, y el dolor nos paralizó. En este momento fue cuando desde afuera, nos empezaron a **definir**. Y nos definieron basados en una obsesión mórbida por historias grotescas que, cada vez que eran **contadas**, **volvían a abrir** nuestras heridas, **aún** frescas. **Nos dejamos** definir.

Pero hace algunos años, la ciudad y su gente comenzó, como parte del proceso de **sanación**, a **redefinirse**, a contar sus historias y a construir su futuro basados en una nueva narrativa. Nuestra propia narrativa.

Con esta historia quiero abrir una ventana para que el lector vea cómo, **a pesar de** un pasado violento, **nos hemos levantado**, **nos hemos limpiado** el **polvo** de nuestros pantalones que se ensuciaron al caer, y hemos **vuelto a mirar** hacia arriba, hacia nuestras hermosas montañas, hacia nuestro valle, hacia nuestro río, y hacia nuestra gente, que es el mayor tesoro.

Este libro está dedicado a todos los **paisas**, mis **parceros** del **alma**, mis hermanos y hermanas, que son todos unos **bacanes** y unos **calidosos**. Este libro está dedicado a todos los que **elegimos** el arte, el amor y la vida por encima del dolor y la guerra.

Un poco de contexto

La **Comuna** 13 es una de las 16 comunas en las que está dividida la ciudad de Medellín. Esta está **ubicada** en el occidente del **Valle** de Aburrá (así se llama el valle en donde está la ciudad de Medellín).

Los primeros habitantes de esta comuna llegaron allí **desplazados** por la violencia que estaba sufriendo el país **entero**, especialmente en el **campo**. Ellos, después de haberlo perdido todo, **no tuvieron otra opción más que** instalarse en las **laderas** de la montaña, en pequeñas casas que **fueron** construyendo con lo poco que tenían. Desde el comienzo tuvieron grandes **carencias** y muy poco **apoyo** del gobierno local.

Un día, los habitantes de la comuna, después de sufrir varios días de **balaceras**, se **unieron**, y uno a uno salieron a sus ventanas, balcones y a la calle, **ondeando sábanas** y **trapos** blancos, y les **gritaron** a todos los grupos armados que hacían parte del conflicto, "**BASTA**".

El gobierno local **tomó conciencia** de la **deuda** que tenía con esta comunidad, y comenzó activamente a invertir en su gente y en su desarrollo. Invirtió en educación, construyendo bibliotecas públicas de alta calidad. Invirtió en transporte, expandiendo el sistema de transporte integrado desde el **metro** con más rutas de buses, con la construcción de un **metrocable** urbano, y con las famosas **escaleras eléctricas**: las primeras escaleras eléctricas que se han construido como medio de transporte público.

Estas escaleras eléctricas reemplazaron 357 **escalones** que las personas tenían que bajar, para poder ir desde sus casas a la estación de buses más cercana. Esta cantidad de escalones eran una **pesadilla** para los **adultos mayores** y las personas con problemas de movilidad, **pues** para ir a **cualquier** parte tenían que bajarlos de **ida**, y luego subirlos de **vuelta**.

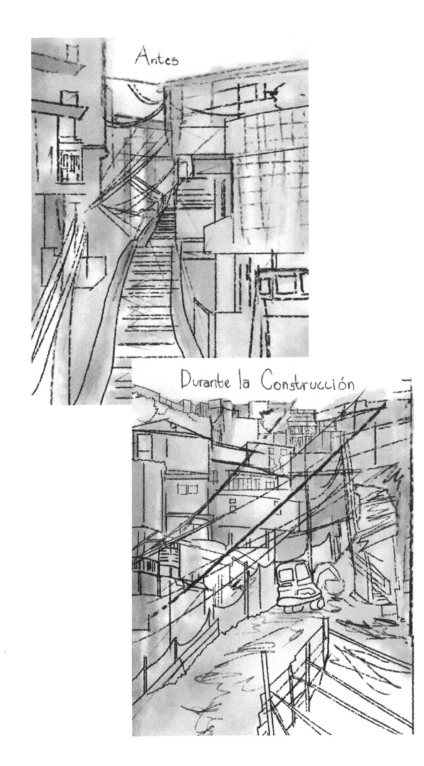

De esta manera, no sólo **se logró** reconectar un área de la ciudad que estaba **aislada**, sino que se abrió una puerta para que la Comuna 13 se volviera un lugar turístico importante de la ciudad.

En la actualidad, las escaleras eléctricas mueven alrededor de 16 mil personas al día, entre turistas y locales. Esto le trajo al barrio nuevas **fuentes** de trabajo, nuevas posibilidades, y una responsabilidad constante por cambiar la **cara** de la comunidad. El arte se vive en las calles de esta comuna. Cada pared tiene un **mural** que nos cuenta una historia diferente. Estas historias están **llenas** de color y expresiones positivas. Hay muchos símbolos que representan **paz** y **armonía**, como **caras**, **naturaleza** y animales. Todo esto hace parte del proceso de construir una narrativa diferente y una nueva **forma** de **entenderse**.

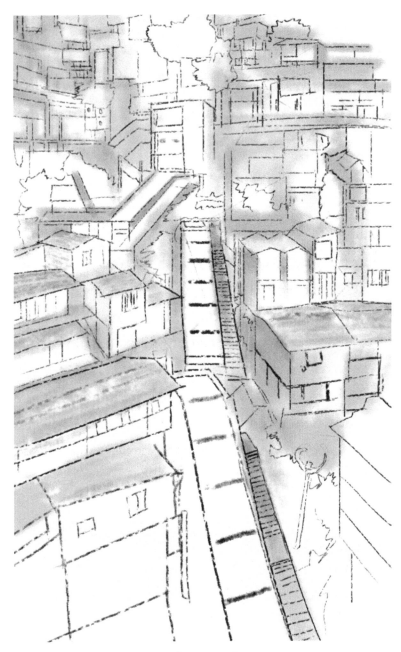

Adriana Ramírez

*Hola **parceros**, soy Carlos. Soy de Medellín, Colombia. Nací en un **barrio** muy especial: la Comuna 13. Les voy a contar por qué es un barrio especial. Esta es mi historia….*

*Como saben bien toda ciudad tiene diferentes zonas o barrios: unos más ricos, otros más pobres. Mi barrio es un barrio de gente pobre. Casi todos llegaron allí **desplazados** por la violencia. Mi país ha tenido **épocas** muy **duras**, y los años ochenta, noventa y principios de los dos mil, causaron muchos desplazamientos.*

Las casas de mi barrio no son elegantes, ni grandes. Casi nadie tiene carro, y para ir a trabajar dependemos del transporte público. El barrio también ha tenido una historia de violencia. No ha sido fácil, pero como dicen, la esperanza es lo último que se pierde.

Nací el 14 de abril de 1992.

Capítulo 1

El nacimiento

–Edilma, ¡**creo** que **rompí fuente**! Necesito que me **ayudés** a llegar al hospital –le dijo Gloria a su amiga por el teléfono.

–Pero Gloria, ¡a esta hora no hay taxis aquí arriba! y la **caminada** es larga para llegar a la estación de buses.

–**Llamá** a Pedro que él nos ayuda. Necesito que me ayuden a bajar caminando. No puedo hacerlo sola. Me duele mucho –dijo Gloria mientras cerraba los ojos y **respiraba profundo**.

–**Esperá** pues que **ya** lo llamo.

Edilma llamó a su vecino Pedro. En la **cuadra** todos se conocían y eran como una gran familia. Pedro normalmente llegaba temprano a la casa, y si estaba, no dudaría en ayudarles.

–¿Aló?
–¿Pedro?

–Sí

–Soy Edilma. Gloria rompió fuente y necesita que la llevemos caminando hasta la estación de buses, y luego al hospital. Necesitamos que nos ayudés.

–Ya voy. **Arreglá** las cosas que ella necesita y me **esperan** en la puerta.

A los cinco minutos Pedro estaba en la puerta de la casa de Gloria. Tocó la puerta. Edilma abrió y le dio la mochila con las cosas que Gloria iba a necesitar en el hospital. Cada uno cogió a Gloria de un **brazo** y la ayudaron a caminar, **cuesta abajo**, por una hora, hasta que llegaron a la estación de buses. No fue un **camino** fácil, pero Gloria era una mujer muy **fuerte**.

Los buses trabajaban hasta las diez de la noche. Ellos **alcanzaron** a llegar **justo** para coger el último bus. Después de una hora, llegaron al hospital más cercano. En el hospital había mucha gente. Eran casi las once de la noche, el hospital estaba lleno. La sala de emergencias estaba llena.

Adriana Ramírez

Había mucha gente esperando. Gloria, Edilma y Pedro se sentaron a esperar. Había gente con cosas **peores** que Gloria. Había gente en situaciones de vida o muerte. Gloria podía esperar.

Las contracciones eran cada vez más frecuentes y Gloria gritaba de dolor. Ella respiraba profundo pero el dolor no se iba. Una contracción, otra contracción. Las **gotas** de **sudor** le **caían** por la **frente**. Cada contracción era un infierno.

Una **enfermera** llegó y **revisó** a Gloria. Ya estaba **lista** para **dar a luz**. Corrió a buscar una **camilla**, pero no había. Todas estaban ocupadas. A esa hora de la noche los hospitales normalmente estaban muy llenos. No había camillas. No había donde **acostar** a Gloria para llevarla a la sala de partos, para dar a luz.

De pronto, la enfermera sintió el **llanto** de un bebé. El llanto del bebé venía de la **sala de espera**. A esa hora de la noche había mucha gente en los hospitales, estaban llenos, pero no con bebés. Los hospitales estaban llenos de gente adulta. Los bebés llegaban en el día.

La enfermera corrió a la sala de espera y vio que había un grupo de personas en el **suelo**. Ella corrió hacia el grupo. Gloria estaba en el suelo, **acostada** en la **chaqueta** del hombre que estaba con ella (Pedro). La mujer que había llegado con Gloria tenía en sus manos un pequeño bebé que no paraba de llorar.

Gloria acababa de dar a luz en el suelo de la sala de espera del hospital.

Es posible soñar

La vida no ha sido fácil. Desde que nací, en el suelo de un hospital, las cosas han sido complicadas. *Crecer en mi barrio no fue fácil* **tampoco**. Nada en esta ciudad es fácil, pero eso es bueno. Cuando las cosas no son fáciles, **aprendés** *a trabajar más* **duro**. *Cuando las cosas no son* fáciles, aprendés a apreciar lo que **tenés**. *Cuando las cosas no son fáciles,* **valorás** *cada logro y lo* **disfrutás** más.

Capítulo 2

La infancia

—Carlos, arreglate rápido que vas a llegar tarde a la escuela.

—Mamá ya voy. No encuentro mi libro de ciencias y si no lo llevo la profe me mata.

—No se te **olviden** las **llaves** de la casa, que hoy por la noche no voy a estar —me dijo mi mamá.

—¿Por qué? ¿Para dónde vas? —le dije mientras seguía buscando mi libro por todas partes.

—Tu tía está muy **enferma** y me **pidió** que **pasara** la noche con ella —me respondió.

Finalmente encontré mi libro de ciencias, cogí las llaves de la casa y salí para la escuela. Tenía trece años e iba a la escuela todos los días con mi amigo Pablo. En la Comuna 13 era muy **peligroso** salir a las calles. Había **balaceras**. Había robos. Por la mañana, a la hora de salir para la escuela, las cosas estaban normalmente **tranquilas**, pero por la tarde, de **vuelta** de la escuela, se podían complicar.

Pablo y yo teníamos que caminar todos los días, **cuesta abajo**, casi una hora para llegar a la estación de buses. Allí cogíamos un bus para ir a la escuela. Luego, por la tarde, teníamos que caminar **cuesta arriba** por más de una hora. Era más **lento** caminar cuesta arriba que cuesta abajo. Normalmente llegábamos a nuestras casas a las seis de la tarde. Después de esa hora no era recomendable salir. Era muy peligroso. Los **combos** se tomaban las calles y salir de las casas era prácticamente morir. Los combos son grupos ilegales de gente que hace cosas malas. No **querés** saber nada de ellos. No querés **meterte** con ellos. No querés saber quienes son.

—Pablo, ¿vamos? Está tarde y nos va a coger la noche.

Adriana Ramírez

–Tengo que comprar arroz y unas papas. Mi mamá me dijo que no podía llegar sin eso –me contestó mi amigo un poco preocupado.

–Bueno, vamos rápido –le dije mientras aceleraba el **paso**.

Paramos a comprar el arroz y las papas en el pequeño supermercado que había antes de llegar a la estación de buses. Había mucha gente comprando cosas. Había una **fila** muy larga para pagar. Era día de pago, la **quincena**, y mucha gente espera hasta ese día para comprar su comida. Después de veinte minutos haciendo fila, logramos pagar el arroz y las papas, y salir del supermercado. Ya eran las 4:30 de la tarde. Eso no era bueno. El bus que normalmente cogíamos salía a las 4:15. El siguiente salía una hora después, a las 5:15 de la tarde. Si cogíamos ese bus íbamos a llegar a las 6:00 y luego teníamos que caminar, cuesta arriba, por más de una hora.

Como ya dije, después de las seis de la tarde, las cosas en las calles del barrio se complicaban. Nadie quería estar afuera.

Pero no había nada qué hacer. Ya era tarde. Lo importante era tratar de llegar a la casa **sanos** y **salvos**. Llegamos a la estación de buses y esperamos nuestro bus. Los dos estábamos **callados**, probablemente **rezando** para que todo saliera bien.

El bus llegó y fuimos los primeros en **subirnos**. Nos sentamos en la primera **banca**. Los dos mirábamos la bolsa con arroz y papas que Pablo tenía en su mano. Seguíamos callados. Probablemente pensando en que era mejor no comer que **arriesgar** la vida llegando tarde a casa. Pero **ya** no podíamos hacer nada. Ya era tarde y lo importante era llegar sanos y salvos.

–Sanos y salvos. Sanos y salvos. Sanos y salvos –repetía yo con voz **suave**.

–¿Qué **decís**? –me preguntó Pablo.

–Que espero que lleguemos a casa sanos y salvos –le contesté mientras cerraba los ojos.

–Lo siento parcero. **Vos sabés** que mi mamá no puede salir de la casa. Está muy **enferma**. Llevamos varios días comiendo casi nada. Si no compraba esta comida mi hermanita y mi mamá no iban a comer nada mañana –me dijo Pablo **bajando** la **cabeza**. Él sabía que estaba poniendo en **riesgo** la vida de los dos.

–Yo sé. Está bien –le contesté a Pablo mientras seguía repitiendo con voz suave "sanos y salvos".

Es posible soñar

Finalmente, llegamos a nuestro **destino** y nos bajamos del bus. Comenzamos a caminar cuesta arriba. Caminamos rápido. Lo más rápido que podíamos. Los dos estábamos callados. Sólo caminábamos. Eran ya las 6:45 de la tarde y todo estaba oscuro. No había nadie en las calles. **Aceleramos** el paso. Caminamos un poco más rápido porque ya casi llegábamos a nuestras casas. Sólo teníamos que caminar unos diez minutos más para llegar. Éramos **vecinos** y vivíamos en la misma calle.

Un gato saltó a la calle desde la ventana de una casa y pasó corriendo al otro lado, **perdiéndose** rápidamente en la oscuridad. El gato no nos miró. **Parecía** que quería irse de allí. Nos **sobresaltamos** pues no había nadie en la calle, sólo el gato. Pero el gato ya no estaba, y ni nos miró.

Había unas pocas casas que tenían las luces prendidas, pero de pronto esas luces se comenzaron a apagar. Pablo miró hacia atrás. Yo también miré hacia atrás. No había nadie. Yo sentí un **vacío** en el **estómago**. Algo no me gustaba. Miré de un lado a otro. No había nadie. De pronto un perro ladró dentro de una casa, sentí un clic y luego un **disparo**. **Se me bajó todo** y **me tiré** al suelo.

–Pablo **tirate** al suelo. ¡Rápido! –le grité, mientras me **arrastraba** hacia unas **canecas** de **basura** para **esconderme** detrás de ellas–. Pablo, Pablo –le grité otra vez sin recibir ninguna respuesta.

Había mucho **ruido** en la calle. Cerré los ojos, **escondí** mi cabeza **entre** mis **piernas** y **me tapé** los **oídos** con las manos. La **balacera duró** alrededor de diez minutos.

De repente todo **quedó** en silencio. No había nadie en las calles, ni una **mosca**. **Esperé** varios minutos. Esperé y esperé. Finalmente abrí los ojos y salí **arrastrándome** por la calle. No quería que nadie **me viera**. Yo sólo estaba pensando en Pablo. Yo sólo quería encontrar a mi amigo.

Cuando llegué a la mitad de la calle, vi el **cuerpo** de Pablo sin vida **tirado** en el suelo. El arroz y las papas que habíamos comprado estaban también tiradas en el suelo. Los libros de la escuela también estaban tirados en el suelo, al lado del cuerpo de mi amigo. Era una escena trágica. Grité. Lloré. Sentí que mi alma se había salido de mi cuerpo y que mi corazón **había dejado de palpitar**. Estaba **vacío** por dentro.

Recogí las papas y el arroz que **pude**, y los puse en la bolsa. Era importante que la mamá y la hermanita de Pablo **pudieran** comer. Cogí los libros de la escuela, que estaban todos tirados en la calle, y los puse en su mochila. Era importante que los maestros vieran que Pablo había hecho sus tareas. Cogí el cuerpo de mi amigo y lo **arrastré**. Lo arrastré por la calle **vacía** y **oscura**. Lo arrastré mientras no paraba de llorar. Lo arrastré hasta que llegué a mi casa y abrí la puerta. Lo arrastré hasta que lo entré a mi casa y cerré la puerta. Me senté en el suelo con el cuerpo de Pablo en mis brazos y lo abracé hasta el amanecer. Pablo había sido víctima de una **bala perdida**, y de una guerra sin sentido entre los combos que **luchaban** por el control del barrio.

Esa fue la primera vez, de muchas, que me sentí vacío. Esa fue la primera vez, de muchas, que sentí que la vida no tenía sentido. Esa fue la primera vez, de muchas, que me sentí **olvidado** por mi **propia** ciudad y por mi gobierno. Esa fue la primera vez, de muchas, que me sentí **enterrado** en vida.

Capítulo 3

Los dibujos de mi cuaderno

-un año después-

El **dolor** era muy **profundo**. No podía sacarme a Pablo ni de mi cabeza ni de mis pensamientos. Sentía que tenía un **hueco** en la mitad del **pecho**. Sentía que estaba **vacío**. **Nada tenía sentido**: ni ir a la escuela, ni comer, ni ver televisión. Sólo una cosa me **distraía**: dibujar.

–**Entonces** clase, como les venía diciendo, la independencia de Colombia se celebra el 20 de julio...... –la voz del profesor se perdía en la distancia. Yo no sabía lo que estaba diciendo ni **me interesaba**. Yo miraba por la ventana. Aparentemente el **cielo** siempre estaba gris, o así lo veía yo–. ¡Carlos! **Ponga atención** por favor. **Deje** de mirar por la ventana que así no va a aprender.

–Sí profe, lo siento –le contesté mientras miraba mi cuaderno y **me hacía el que** tomaba nota.

–¿Está tomando nota? –me preguntó incrédulo.

–Sí profe, claro –le dije **mientras** continuaba dibujando. Hacía diseños raros, como grafitis, pero en papel. Dibujar me distraía.

–Bueno **muchachos** –dijo el profesor **pausadamente**, lo que me **obligó** a mirarlo–, como veo que han estado tomando nota toda la clase, voy a **recoger** los cuadernos para calificarlos. Por favor los ponen en mi escritorio **de salida**.

Yo **casi me muero**. ¿Qué iba a decir el profe cuando viera mi cuaderno? No había escrito ni una palabra de lo que él había hablado. Es más, no sabía de qué había hablado. Me iba a dar una mala **nota** e iba a llamar a mi mamá. Pero yo no tenía más opción que poner el cuaderno en el escritorio del profe. Yo era el último que **quedaba** en el salón, caminé hacia la puerta y puse mi cuaderno encima de los otros.

–Carlos –me dijo el profe justo cuando había llegado a la puerta.

–¿Sí profe? –ahora qué me iba a decir….

–Necesito hablar con usted –me dijo mientras cogía mi cuaderno y lo abría. Yo dejé de respirar. Ya no había **escapatoria** ni explicaciones que me sacaran de esta–. ¿Qué son estos **rayones**? ¿Qué significa esto? –me dijo mientras miraba mis dibujos, con los ojos muy abiertos y un poco escandalizado.

–Son grafitis en papel, profe. Son diseños que hago y que me **relajan**. Son como una terapia.

–¿Y por qué **reflejan** tanta violencia? –me preguntó confundido–. ¿Cómo lo puede relajar eso?

–No puedo explicarlo. Dibujo **lo que me sale** del corazón, no lo planeo. **Simplemente me sale**. Siempre que dibujo pienso en Pablo. Él siempre está en mi mente –le expliqué mientras bajaba la cabeza y miraba el suelo.

–Voy a llamar a su mamá a contarle lo que está pasando. A usted **no le está yendo bien** en la escuela, está sacando malas notas, no está poniendo atención, y ahora, en vez de tomar nota en clase, ¡decidió hacer rayones!

–Profe, no la llame por favor. Ella tiene muchos problemas y ya está muy preocupada por mí. No le quiero dar otro dolor de cabeza.

–¿Y entonces qué hacemos? Aquí tenemos que hacer algo. Las cosas no pueden seguir así.

–Yo voy a cambiar, se lo prometo.

–**Ya veremos** –me contestó **incrédulo** mientras cerraba mi cuaderno y me lo **devolvía**.

Estaba muy frustrado. Tenía muchos sentimientos dentro de mí y no sabía qué hacer con ellos. No podía hablar con mi mamá porque no quería preocuparla más. Mi mejor amigo **se había ido**. Lo único que me ayudaba a entender lo que me estaba pasando, a darle sentido a mi dolor, era hacer dibujos en mi cuaderno. Y **ya ni eso** podía hacer.

De camino a mi casa había una **ferretería**. Por impulso paré y compré dos **aerosoles**: uno azul y otro rojo. Los **metí** en mi mochila y seguí caminando. Yo ya sabía para dónde iba. Había una **pared** perfecta dos **cuadras** antes de llegar a mi casa.

Cuando llegué a la pared, puse mi mochila en el suelo, saqué los aerosoles y comencé a pintar. Y mientras pintaba lloraba. Lloraba por Pablo, mi mejor amigo, mi parcero, que se fue antes de tiempo de una **manera** muy **injusta**. Lloraba porque estaba triste pero también porque tenía mucha **rabia**. Tenía mucha rabia y mucho dolor dentro de mí, y los tenía que poner en algún lado, y esa pared me pareció un buen lugar.

Esa fue la primera vez, de muchas, que **comencé** *a pintar en las paredes de las casas de mi barrio. Esa fue la primera vez, de muchas, que comencé a hacer grafitis para expresar mi dolor. Esa fue la primera vez, de muchas, que comencé a hacer grafitis para* **denunciar** *las* **injusticias** *de una guerra sin sentido. Mis grafitis* **se volvieron** *mi voz.*

Adriana Ramírez

Es posible soñar

Capítulo 4

Los grafitis de mi barrio

-dos años después-

*Mucha gente ve los grafitis como vandalismo porque se hacen en los espacios públicos. Pero muchos otros vemos los grafitis como arte, pero le decimos arte urbano, arte de la ciudad. La mayoría de los **grafiteros** usamos nuestro arte para denunciar las injusticias de la sociedad en la que vivimos. Cada parte del grafiti expresa y dice algo. Detrás de cada grafiti hay una historia que contar. Detrás de cada grafiti hay un **mensaje**.*

–¿Para dónde vas Carlos tan **temprano**? **Sabés** que no es bueno salir cuando todavía está oscuro –me gritó mi mamá cuando me vio bajar las escaleras y caminar hacia la puerta.

–Tengo que **hacer unas vueltas** –le contesté acelerando el **paso** para salir de la casa, antes de que me hiciera más preguntas.

–Pero es sábado y está muy temprano. ¿Y para qué la mochila? –a ella nunca se le **escapaba** ningún **detalle**. Las mamás siempre son muy observadoras.

–Adiós mamá, nos vemos por la noche.

–¡Carlos! –me gritó ella cuando estaba abriendo la puerta.

–¿Sí mamá? –no quería darle muchas explicaciones porque sabía que ella no **aprobaría** lo que yo estaba haciendo en secreto, pero tampoco era **capaz** de **mentirle**.

–¿Y el desayuno? ¿No vas a desayunar?

–No tengo tiempo mamá, me tengo que ir ya –me dolía **despreciarle** el desayuno pues sabía que ella se levantaba temprano para hacerlo.

–**Dejá yo te lo empaco.** No te **podés** ir sin algo de comer, **no vaya a ser que te coja el hambre por ahí** –me dijo ella mientras metía en una bolsa de plástico la **arepa** con **quesito**, **doblada** a la mitad, y **llenaba** una botella de plástico, de esas en donde viene el agua, con **aguapanela**.

–Gracias mamá –le respondí mientras cogía mi desayuno, lo metía en la mochila y le daba a ella un beso en la **frente. Me había ganado el cielo** con mi mamá.

Eran las 4:00 de la mañana cuando salí de mi casa. Mi mamá siempre se levantaba muy temprano para preparar el desayuno y el almuerzo, y dejar todo listo antes de salir a trabajar. Ella trabajaba en el **Metro** de Medellín y su turno comenzaba a las 6:00 de la mañana.

Salí corriendo **calle abajo**. Estaba oscuro y, como ya saben, no era bueno estar afuera a esa hora. Era exponerse innecesariamente porque en cualquier momento algo podía pasar. Pero yo sólo pensaba en Pablo. Esto lo hacía por él y por la gente del barrio. Alguien tenía que hacer algo.

Corrí por dos cuadras, luego **volteé** a la derecha y corrí dos cuadras más. Allí me estaban esperando David y Yamid, mis parceros. Nos miramos, **asentimos** con la cabeza y seguimos corriendo **juntos**. No era momento de hablar. Sólo teníamos una hora y media antes de que saliera el sol. Corrimos por diez minutos más, hasta que llegamos a la pared que habíamos escogido la semana anterior. Cuando llegamos allí cada uno abrió su mochila, sacó sus aerosoles y comenzamos a trabajar en nuestro arte.

Ya habíamos practicado muchas veces quién hacía qué. Sabíamos nuestro **papel** y nuestra parte en esta obra de arte urbano. Sabíamos el **mensaje** que queríamos **transmitir** y cómo transmitirlo. En silencio y muy sincronizados, trabajamos por una hora y media. No había tiempo de parar a descansar, comer o ir al baño. No había tiempo de nada, sólo de respirar y pintar. Estábamos muy coordinados. **Parecía** un baile. Nos movíamos de arriba a abajo, de un lado al otro. Cogíamos un aerosol, luego otro.

Cuando se empieza un grafiti **no se deja** el lugar hasta que este se termina. Las primeras personas que vean el grafiti tienen que ver el producto final y **recibir** el impacto inmediato del mensaje. **Dejar** un grafiti **empezado** es dejar un mensaje a medias, y nunca sabemos si las personas van a interesarse en "leer" el resto. Por eso, si se quiere trabajar en el aspecto de denuncia social, cuando se empieza un grafiti, se termina. Sólo tenemos una oportunidad de llevar el mensaje y causar impacto.

Más o menos a las 5:45 de la mañana, cuando los primeros **rayos** del sol estaban saliendo y el cielo estaba más **claro**, metimos nuestros aerosoles en las mochilas, las cerramos y salimos corriendo en direcciones diferentes. Nadie nos **debía** ver juntos. Tres jóvenes con mochilas, a esa hora de la mañana en la calle, un sábado, **era más bien sospechoso**.

Es posible soñar

Me senté en unas **escaleras**, abrí mi mochila, **saqué** mi desayuno y me lo comencé a comer. La aguapanela y la arepa ya estaban frías pero igual sabían delicioso. Pensé en Pablo. Siempre que terminaba un grafiti pensaba en él. Cada dibujo, cada historia y cada denuncia que había detrás de cada grafiti que yo hacía, eran en honor a él, a mi parcero del alma. Estaba muy orgulloso del grafiti que acabábamos de hacer. Este tenía un mensaje claro y fuerte, la **falta** de inversión del gobierno en nuestro barrio nos estaba **dejando** sin **esperanza**, y un **pueblo** sin esperanza es un pueblo **perdido**.

El grafiti tenía tres partes y cada uno de nosotros hizo una:

La primera parte era un grupo de gente viva que estaba debajo de la **tierra**, como **enterrados** en **vida**. Todos **gritaban pidiendo ayuda**, pero nadie los **escuchaba** porque estaban debajo de la tierra.

La segunda parte tenía una figura política famosa que les daba dinero a muchos pero que conscientemente ignoraba a otros.

La tercera parte tenía una **paloma** volando y un grupo de gente dándole la mano a los que estaban "enterrados", ayudándolos a **salir de esa situación**, **abrazándolos** y haciéndolos parte de la gran comunidad.

Es posible soñar

Con este diseño queríamos denunciar la indiferencia del estado **hacia** nuestro barrio y nuestra gente. Queríamos denunciar el **abandono** en el que estábamos, la falta de inversión, de servicios y de **acceso**. Queríamos mostrar que hacemos parte de la gran ciudad, de la gran comunidad, y que, **si nos dan la mano**, seremos uno con todos.

Adriana Ramírez

–¿Ya viste el nuevo grafiti que está detrás del **granero** de doña Ana? –me preguntó Yamid.

–No, ¿hay un grafiti allí? ¿Quién lo hizo? –le contesté **confundido**.

–Pues claramente no lo hicimos nosotros –respondió David–. Apareció esta mañana. Lo vi cuando fui por leche para el desayuno.

–¿Y **qué tal**? ¿Está bueno? –les pregunté a mis amigos que ya parecían estar familiarizados con el nuevo grafiti.

–Está muy bueno. Tiene un mensaje **poderoso** –me dijo Yamid.

–Y ¿Quién lo hizo? ¿Quién firma? –pregunté con curiosidad. Hasta ahora nosotros éramos los únicos grafiteros del barrio. Todos los grafitis que había, habían sido **hechos** por nosotros, "Los **Inconformes**". Así que esto era una **novedad**.

–La firma dice "Las **Igualadas**". Me imagino que son mujeres –dijo Yamid.

–¿Unas mujeres haciendo grafitis? Es la primera vez que **oigo** eso –dije **pensativo**.

Es posible soñar

–¿Qué pensás de eso? ¿Qué te parece que unas mujeres estén haciendo grafitis? –me preguntó David.

–¡**Pues** me **parece** fantástico! Y lo que más me gusta es que ya no somos sólo nosotros. Ya somos dos grupos de personas, ya somos un pequeño movimiento.

–**Estoy de acuerdo** –dijo Yamid.

–Carlos, **mijo** –me dijo mi mamá mientras le **bajaba** el volumen a la radio.

–¿Sí mamá?

–¿Vos **sabés** algo de los grafitis que están **apareciendo** en el barrio?

–¿Por qué me **preguntás** mamá?

–No, yo que digo. Como vos siempre salís tan temprano en la mañana, **pues** me imagino que algo **habrás visto**, ¿no?

–Pues depende mamá.

–¿Cómo así que depende? ¿Sabés o no sabés?

–Pues si te vas a **enojar**, no sé nada. Pero si no te vas a enojar es posible que **sepa** algo.

Mi mamá me miró con esa mirada **inquisidora** que tienen las mamás, que lo leen a uno por dentro y por fuera.

–Yo sabía que vos **tenías que ver algo** con esos grafitis –me dijo.

–Mamá son una **forma** de protestar. Son una denuncia contra el sistema.

–Me encantan –dijo mi mamá mientras le **ponía** volumen a la radio otra vez, y continuaba **pelando** las papas para la comida. Cuando ella le ponía volumen a la radio era porque la conversación se había terminado, **al menos** en su cabeza.

Capítulo 5

Las escaleras eléctricas

–2011/2012–

–¿Escuchaste las noticias? –me dijo David emocionado.

–No, ¿qué pasa? –lo miré **intrigado**.

–Nos van a poner escaleras eléctricas en el barrio –me contestó mientras cogía una de las **empanadas** que acababa de hacer mi mamá. Mi mamá hacía las mejores empanadas del mundo.

–¿Qué? ¿Escaleras eléctricas? ¿Como las de los **centros comerciales**? –le dije incrédulo.

–Exactamente –me contestó con la boca **llena**.

–¿Escaleras eléctricas al **aire libre**? –nos preguntó mi mamá. Estábamos en la cocina **acompañándola mientras** hacía las empanadas.

–Escaleras eléctricas al aire libre **doña** Gloria –le dijo David mientras cogía otra empanada.

–¿Y sabés por qué? –le pregunté.

–**Pues** escuché que la **alcaldía** está trabajando en los problemas de movilidad que tiene la comuna. Como sabés, hay mucha gente "**encerrada**", especialmente los **viejitos**, que **casi ni salen** de sus casas porque no hay forma de que **accedan** al transporte público. **Imaginate** uno de setenta años teniendo que caminar, **cuesta abajo,** todas estas cuadras para poder llegar a la estación de bus, y luego tener que subirlas **a pie**. Es imposible –nos explicó David que siempre estaba muy bien informado.

–Es verdad, si para mí es difícil que no estoy tan vieja, ¡imagínense para ellos! –dijo mi mamá mientras ponía más empanadas en el **plato**.

–Es una forma de mejorar la movilidad de la gente del barrio, y esto nos da una mejor calidad de vida: acceso más rápido al transporte público, que la gente con **discapacidades** pueda salir de sus casas, y que otra gente pueda acceder a nuestro barrio más fácilmente. **Por aquí** nadie **viene**. Es muy difícil llegar –continuó David explicándonos mientras cogía su tercera empanada.

La construcción de las escaleras comenzó. Mi barrio se llenó de **obreros**, **ingenieros**, **arquitectos** y **funcionarios** de la alcaldía que diariamente llegaban a trabajar en las **obras**. Todas las personas que llegaban **tenían algo que ver** con los grafitis. En sus horas de descanso, caminaban por las calles del barrio admirando y tratando de entender lo que estos grafitis significaban. A mis amigos y a mí nos encantaba observar sus reacciones al ver nuestras obras de arte urbano. Pasábamos caminando despacito, **disimulando**, para escuchar sus comentarios y lo que estaban diciendo.

—¡Qué **bacanería** estas escaleras Carlos! —me dijo Yamid después de la tercera vez de bajar y subir por ellas.

—¡**Cierto**! Yo **no me lo puedo creer** —le dije mientras miraba las paredes que había a lado y lado de estas–. ¿Qué vamos a hacer con esos **lienzos** nuevos que nos acaban de poner en **bandejita de plata**?

–¿**Cómo así**? –dijo Yamid confundido.

–Pues que **mirés** la cantidad de paredes nuevas, que aparecieron como consecuencia de la construcción de las escaleras –le dijo David.

–No las había visto de esa manera –contestó Yamid mirando alrededor y analizando cada **muro** nuevo.

–Esos muros grises parecen **muertos**, sin vida. Tenemos que **llenarlos** de colores, pero colores con sentido –nos dijo David mientras bajábamos por las escaleras por cuarta vez.

–Tenemos mucho trabajo por delante. Vamos a usarlos todos para contar nuestras historias –les dije mientras comenzaba a imaginarme algunas posibles ideas para dibujar en esos muros.

–Pero esos muros no son sólo para nosotros –nos dijo Yamid–. Hay otros grafiteros en el barrio. **Unámonos** con la otra gente.

–¡Ya sé! –les dije con mucho entusiasmo–. Hagamos un concurso de grafitis. Pongamos un día y una hora, y **reguemos la voz**. El que quiera pintar que **venga**, y ese día todos nos encontramos y finalmente nos conocemos.

–No, no hagamos un **concurso**, **mejor** un festival. Hagamos un festival –nos dijo David ya más emocionado que yo–. Así también podemos invitar a los que bailan 'hip-hop' y a los DJs.

–Organicemos un festival para **inaugurar** las escaleras. Invitamos a todo el barrio –dijo Yamid.

–Mi mamá puede vender empanadas también, y así **se hace unos pesitos** –les dije.

–Esto va a ser muy especial. **Pongámonos manos a la obra** –dijo David mientras subíamos por las escaleras por quinta vez.

Es posible soñar

Cada uno estaba más emocionado que el otro, y cada uno tenía una idea que complementaba mejor la otra. Así éramos siempre, y como dicen **por ahí**: tres cabezas piensan mejor que una. Y así fue como inauguramos las escaleras y **nos dimos a conocer** oficialmente a todos los habitantes del barrio. Así fue como también conocimos a "Las Igualadas" y a otros grafiteros más. Fue muy chévere ver como todo el barrio se **unió**. Ese día se podía **respirar** esperanza.

Los viejitos estaban muy impresionados con nuestro arte, y muchos de ellos **hasta trajeron** sillas para sentarse a mirarnos pintar. Nuestras madres estaban muy **orgullosas** de nosotros, y todas llegaron con **juguito** de **guayaba** o aguapanela fría con limón para hidratarnos, pues estaba haciendo mucho calor. Los niños y niñas estaban **extasiados** mirándonos pintar. **Se sentía** muy bien ser admirado. Yo nunca había sido admirado ni por nada ni por nadie.

Y este **amor propio** que todos comenzamos a sentir **nos trajo** otra **oleada** de creatividad. Había esperanza en el **ambiente**. Mis amigos y yo **seguimos diseñando** y haciendo grafitis, pero con una diferencia, ya no nos teníamos que **esconder**. Ya no teníamos que hacer los grafitis en la **madrugada**. Ya los hacíamos en **pleno día**, **incluso** con gente mirándonos mientras trabajábamos.

Capítulo 6

La idea

–más o menos dos años después–

–**Ponele** más volumen a la música –le grité a uno de los bailarines de hip-hop que estaban practicando cerca a nosotros–. Necesito un poco de inspiración.

–Carlos, ¿**tenés** más pintura verde? –me dijo David mientras **sacudía** su aerosol para ver si le **lograba sacar** un poco más.

–Nada parcero. **Se me acabó** –le contesté–. ¿Por qué no vas a mi casa? Allá tengo más. Mi mamá está en la casa y **ella te abre**.

–**Disculpe** –nos dijo un hombre que no era del barrio y que hablaba español con un acento **extranjero**.

–Sí, ¿qué necesitás? –le dije yo un poco **sorprendido**. No era normal ver en el barrio personas que no fueran de allí.

–¿Ustedes me podrían explicar el **significado** del grafiti que están haciendo? –nos preguntó.

–**Claro** parcero, pero **contanos** primero qué estás haciendo por acá –le dije yo con mucho interés.

–Soy un turista. Soy de Francia y vine a Colombia de vacaciones. Alguien me habló de los grafitis de este barrio y tenía que venir a verlos porque yo soy grafitero también –nos explicó.

–¿Un francés en la Comuna 13? Eso nunca se había visto –dije yo mientras miraba a David un poco **extrañado**–. ¿Qué querés saber pues? Preguntá que nosotros te contamos.

–¿Qué significan los elefantes? –nos preguntó el francés.

–Ay parcero, este grafiti es muy poderoso, **vení** te explico: El propósito de este grafiti es que no olvidemos nuestra historia. Este grafiti simboliza una de las operaciones militares que vivimos, en esa **época tan dura** y violenta **por la que pasó** la Comuna 13. Dicen que los elefantes son los animales que tienen más memoria, ellos nunca olvidan. Por eso estamos pintando estos tres elefantes, porque nosotros no podemos y no queremos **olvidar** el **dolor** y el **sufrimiento**. Los **trapos** blancos, que cada uno lleva en su **trompa**, simbolizan un momento histórico en nuestras vidas como comunidad. Un día, cansados de **tanta** violencia, todos, **sin ponernos de acuerdo**, comenzamos a salir a nuestros balcones, ventanas y a la calle **ondeando** unos trapos blancos, pidiéndole a los grupos armados y al gobierno **PAZ** –cuando terminé de hablar, el francés me estaba mirando con la boca abierta. Yo no sabía si era que no me había entendido la historia o estaba impresionado–. ¿Qué pasa francés? –le dije.

Adriana Ramírez

–¡Eso está muy profundo! No había escuchado una historia tan **poderosa** detrás de un grafiti.

–Pues aquí todos los grafitis cuentan una historia –le dijo Yamid.

–Estoy muy impresionado con su arte –nos dijo mirándonos.

–¿Por qué? –le contesté un poco confundido.

–Porque los grafitis de ustedes tienen un **propósito claro**. Tienen un propósito social, de **sanación** de la comunidad. Esto es una **galería viviente**. Es un libro abierto para que otros podamos entender lo que ustedes son.

–¿**Querés** que te cuente la historia de los otros grafitis? –le dije mientras le decía a David que trabajara en mi parte del grafiti, donde no necesitaba la pintura verde.

–Sería muy bueno, **si no le molesta**.

–**Cómo me va a molestar** francés, **vení** nos tomamos un **tintico** y empezamos el **recorrido**.

–¿Y qué es un tintico? –me preguntó confundido.

–Vos **seguime**.

Después de **una hora larga** de estar hablando con el francés, Pierre, dijo que se llamaba, pero para nosotros ya era "el francés", lo invité a mi casa, a comer empanadas de las que hace mi mamá. Él **no lo podía creer**.

–¿Por qué es usted tan **amable**? –me preguntó.
–Así somos todos **por acá** francés. Los **paisas** somos amables.

Finalmente **me despedí** del francés y me fui a buscar a David y a Yamid, que seguramente todavía estaban trabajando en el grafiti de los elefantes.

–Muchachos, ¿cómo van? Les tengo que decir algo. Tengo una súper idea –les dije.
–¡Ehhh casi que no volvés! ¿Ya se fue el francés? –me preguntó Yamid.

–Sí, es que lo llevé a mi casa a comer empanadas. No lo podía **dejar irse** sin **probar** las empanadas de mi mamá. Así tiene cosas buenas para contar cuando vuelva a Francia.

–Es verdad, son las mejores empanadas del mundo –dijo David.

–Bueno, y ¿qué nos tenés que decir? –me preguntó Yamid.

–Pues que después de haber **pasado este rato** con el francés, y al ver su interés con lo que estamos haciendo, con las escaleras, con el barrio, con la amabilidad de la gente.... **¿Qué tal si** comenzamos a hacer tours por el barrio a **extranjeros** que quieran venir a conocer lo que hacemos?

–¿Y quién va a querer venir hasta acá? –dijo David **dudando** de mi buena idea.

–Pues el francés vino –le contesté.

–Es verdad –dijo Yamid.

–Pero vino el francés **y ya**, ¿cómo vamos a **conseguir** gente? –preguntó David un poco incrédulo.

–Podemos **promocionarlo** por internet. Podemos usar los computadores de la biblioteca y abrimos cuentas en Twitter, Instagram y Facebook para promocionar lo que hacemos –le expliqué.

–¿Y cómo lo vamos a llamar? –preguntó Yamid.

–Grafitour Comuna 13 ¿**Cómo les suena**? –les dije mirándolos a los ojos.

–Suena poderoso –dijo Yamid.

–Me gusta como suena –contestó David.

–Listo, **vamos por esa** que no perdemos nada, y **hasta nos sale**.

Adriana Ramírez

Capítulo 7

Los turistas

-2015 en adelante-

Llegaron los turistas y mi barrio **pasó de ser** uno de los barrios más **temidos** y violentos, a ser uno de los más **visitados** por locales y extranjeros.

Junto con otros grafiteros, **creamos** una **empresa** de turismo local muy **exitosa**. Los turistas nos contactan por WhatsApp o por Instagram. Nos encontramos con ellos en un punto específico en el **centro** de la ciudad, y los **traemos** a nuestro barrio usando el transporte público: metro, bus y escaleras eléctricas. En **el camino** les vamos contando la historia de la ciudad, de nuestro barrio, y la parte favorita de todos los turistas, las historias detrás de cada grafiti.

Me encanta ver **la cara que ponen** los turistas cuando ven las escaleras. **Limpias** y

orgullosas, **suben** por la montaña **como** si **hicieran parte de esta**. Los turistas **no lo pueden creer**. También me gusta ver sus expresiones de admiración cuando ven los grafitis y entienden la historia que hay detrás de cada uno.

Cada tour **dura** alrededor de tres horas, con **parada** a **mecatear** y todo. ¡**No damos a basto**! Estamos **ocupados** los siete días de la semana, y esto **se ha convertido** en un trabajo muy gratificante.

También hemos organizado **concursos** de grafiti, y hemos invitado a grafiteros famosos a **nivel** internacional, para que vengan a hacer su arte en nuestro barrio.

Estamos **lejos** de ser perfectos. Todavía falta mucha inversión social. Pero es increíble ver como unas escaleras eléctricas, que simbolizan que nosotros importamos, que somos parte de la ciudad, de su gente y luego, el arte como forma de expresión y **sanación**, **nos puso** en el mapa como uno de los barrios con **mayor transformación** social en el continente. No sólo **nos ganamos** el **respeto** y la admiración de los turistas extranjeros sino también de los turistas locales, y de la gente de nuestra propia ciudad.

Y lo mejor de todo, tenemos esperanza. La esperanza nos **permitió alzar** la **vista nuevamente** y mirar el **firmamento**: desde nuestro barrio tenemos una hermosa vista a las montañas que **rodean** nuestro valle. La esperanza nos dio **fuerza** para caminar hacia adelante **a pesar del** dolor. **Seguramente nos volveremos a caer** muchas veces, pero ya sabemos lo que es soñar. Ya sabemos que es posible soñar.

Adriana Ramírez

Epílogo

Aunque las escaleras **han traído** muchos **beneficios** a la gente del barrio, no han solucionado todos sus problemas. El gobierno tiene la responsabilidad de **seguir invirtiendo** en su gente: **fuentes** de trabajo estables, educación, **alimentación**, accesibilidad y **seguridad**.

Las escaleras no fueron ni son la solución mágica a todos los problemas sociales. Todavía hay hambre, **desempleo** e **inseguridad**. Lo que estas hicieron fue traer esperanza y la posibilidad de soñar. Lo que estas **demuestran** es la importancia de la inversión del estado en todos sus ciudadanos. Lo que estas lograron fue abrir un espacio para el arte como expresión social. Lo que estas comenzaron fue un proceso de **reinvención**.

Pero todavía hay mucho trabajo por hacer.

Adriana Ramírez

Es posible soñar

Nota gramatical

¿Qué es el voseo?

En la gramática del español el **voseo** es el uso del VOS como pronombre de la segunda persona del singular. Este pronombre requiere una conjugación especial en los verbos. Muchas regiones de Latino América y de Colombia usan el vos en vez del tú. Su **alterno** es el uso del pronombre TÚ, a lo que se le conoce como **tuteo**.

Países donde usan el voseo: Argentina, Uruguay, Paraguay, regiones de Bolivia, regiones de Colombia, regiones de Venezuela, El Salvador, Nicaragua, Honduras, Guatemala, y Costa Rica, entre otros.

Se dice que las regiones en las que actualmente se usa el voseo, son aquellas que durante la época de la colonia, estuvieron más **aisladas** por su ubicación geográfica.

En la ciudad de Medellín, y en todo el **departamento** de Antioquia, se usa el voseo.

Ejemplos:

verbo	tú	vos	mandatos vos
ser	eres	sos	
comer	comes	comés	comé
ayudar	ayudas	ayudás	ayudá
venir	vienes	venís	vení
querer	quieres	querés	queré
poner	pones	ponés	poné
pensar	piensas	pensás	pensá

Uso del "voseo" en América Latina

Adriana Ramírez

Nota 2

Sólo subir los más de 357 escalones, **les tomaba** a las personas alrededor de 40 minutos, esto sin contar el transporte en bus, metro, etc. Ahora, hacer ese **recorrido, se demora** 7 minutos gracias a las escaleras eléctricas.

Nota 3

¿Qué es el turismo responsable?

Cuando vamos a un lugar como turistas, tenemos que **recordar** que somos **invitados** del lugar y de su gente. Un buen invitado respeta la **propiedad privada**, la gente y sus **costumbres**.

Hay turistas responsables que respetan las tradiciones y la **humanidad** de los habitantes del lugar que están visitando. Pero también hay turistas irrespetuosos y **egoístas**, que sólo piensan en ellos y en las fotos perfectas que van a tomar para **subir** a sus **redes sociales**.

Cuando vamos a un lugar como turistas, es importante saber **de antemano lo que se debe** y lo que no se debe hacer. Es importante tener **cortesía** y respeto por los habitantes del lugar y por la naturaleza. También es importante tratar de **apoyar** el comercio local: artesanos, pequeños restaurantes, comida y cosas **hechas** en el lugar y por sus habitantes, para que la gente que vive del turismo realmente se beneficie.

Algunas preguntas importantes para cuestionar nuestro papel como turistas son:

- ¿Qué **tipo** de fotos tomas?

- ¿Para qué estás tomando estas fotos?

- ¿Siempre estás buscando la foto perfecta para tus redes sociales, sin importar lo que esto cueste y a quién afecte?

- ¿Eres **considerado** a la hora de tomarte fotos con las personas del lugar?

- ¿Les **pides permiso** a los habitantes del lugar antes de tomarles fotos?

- ¿Qué significa el lugar en donde estás?

- ¿Te estás comportando según las expectativas de los habitantes locales?

- ¿Cómo puedes mostrar respeto hacia los habitantes de ese lugar y sus espacios?

- ¿A quién **benefician** tus compras? ¿Estás apoyando con tus compras la economía local? ¿O tus compras benefician a multinacionales, que no tienen ninguna conexión con el lugar que estás visitando?

- ¿Apoyas a los artesanos del lugar, comprando sus productos y **valorando** su trabajo?

- ¿Los tours que **contratas** están organizados por gente del **propio** lugar?

- ¿**Dejas** siempre el lugar limpio?

Vocabulario

A medida que el nivel de español se va volviendo más complicado, también se vuelve más difícil traducir literalmente las palabras. Muchas palabras no se pueden traducir solas, sino en compañía de otras palabras que las rodean, pues juntas forman expresiones y dichos comunes del español hablado en el día a día.

Por esta razón, el vocabulario del libro está organizado de manera alfabética, y no por capítulos, y las palabras y expresiones nuevas, que están incluidas en el vocabulario, están resaltadas en negrilla.

Muchas de las "palabras" del vocabulario, no son palabras en sí sino expresiones, y así están traducidas. En la mayoría de los casos no se usan traducciones literales, sino la expresión que sería equivalente en el inglés. También hay palabras que tienen varios significados, dependiendo como se usen, por lo tanto, y para efectos de facilitar la comprensión, la traducción que se encuentra en el vocabulario, es la que ayuda a entender el mensaje del libro, sabiendo que hay otras posibilidades que no fueron incluidas.

a pesar de – despite of

a pie – on foot

abandono – abandonment/neglect

abrazándonos – hugging each other

accedan – access

acceso – access

aceleramos – accelarated

acompañándola – acompaning her

acostada – laying down

acostar – lay down

adultos mayores – older people

aerosoles – sprays

aguapanela – beverage made of cane sugar

aire libre – open air/outside

aislada – isolated

aisladas – isolated

al menos – at least

alcaldía – town hall

alcanzaron – were able to make it

alguna vez – once

alimentación – food

alma – soul

alterno – parallel

amable – nice

ambiente – environment

amor propio – self love

apareciendo – showing up

apoyar – support

apoyo – support

aprendés – you learn (vos)

aprobaría – would approve

arepa – flat corn 'bread'

armonía – harmony

arquitectos – architects

arrastraba – dragged

arrastrándome – dragging myself

arrastré – I dragged

arreglá – you get ready (vos)

arriesgar – risk

asentimos – we nodded

aún – still

ayudés – you help me (vos)

bacanería – very cool

bacanes – slang for nice people

bajaba – lowering

bajando – lowering

bala perdida – lost bullet

balacera – shooting

balaceras – shootings

banca – bench

bandejita de plata – 'handed on a silver platter' – a perfect opportunity, something tailor-made for you

barrio – neighborhood

basta – stop/enough

basura – garbage

benefician – benefit

beneficios – benefits

brazo – arm

cabeza – head

caían – were falling

calidosos – slang for nice people

callados – quiet

calle abajo – down the street

camilla – stretcher

caminada – the walk

camino – journey

campo – countryside

canecas – cans

capaz – able to

cara – face

caras – faces

carencias – shortages

casi me muero – I almost die

casi ni salen – they barely go out

centro – downtown

centros comerciales – shopping centers

chaqueta – jacket

cielo – sky

cierto – true

claro – clear

claro – of course

combos - gangs

comencé – I began

cometer – make

cómo así – what do you mean

cómo les suena – how does it sound

cómo me va a molestar – why would I mind

como si hicieran parte de esta – as if they were part of it

comuna – neighborhood

concurso – competition

concursos – competitions

confundido – confused

conseguir – get / find

considerado – respectful

construimos – build

contadas – told

contanos – you tell us (vos)

contratas – hire

cortesía – courtesy

costumbres – custom

creamos – opened

crear – to create

creo – I believe

cuadra – block

cuadras – blocks

cualquier – any

cuerpo – body

cuesta abajo – down hill

cuesta arriba – up hill

dar a luz – give birth

de antemano – before hand

de camino – on my way

de pronto – suddendly

de salida – on your way out

debía – should

decís – you say (vos)

definir – define

dejá yo te lo empaco – let me wrap it up for you

dejando – leaving

dejar – leave/let

dejar irse – let him go

dejas – leave

deje – stop

demuestran – show

denuncia – complaint

denunciar – denounce/report

departamento – state/province

desempleo – unemployment

desplazados – displaced

despreciarle – ignore/reject

destino – our stop

detalle – detail

deuda – debt

devolvía – gave back

discapacidades – disabled

disculpe – excuse me

disfrutás – you enjoy (vos)

disimulando – pretending

disparo – shooting

distraía – distracted

doblada – folded

dolor – pain

doña – madam/mrs.

dudando – doubting

dura – lasts/takes

dura(s) – hard

duro – harder

duró – lasted

egoístas – selfish

el camino – in the way

elegimos – we choose

empanadas – type of pie

empezado – initiated

empresa – business

encerrada – locked up

enferma – sick

enfermera – nurse

enojar – get mad

entenderse – understand

entero – whole

enterrado – buried

enterrados – buried

entonces – so

entre – between

época – time period

épocas – time periods

era más bien – it was kind of

errores – mistakes

escaleras – stairs/escalators

escaleras eléctricas – escalators

escalones – steps

escapaba – escape

escapatoria – escaping

esconder – hide

esconderme – hide myself

escondí – hid

escuchaban – would listen

esperá – you wait (vos)

esperan – wait

esperanza – hope

esperé – I waited

estado de pasividad – state of passivity

estómago – stomach

estoy de acuerdo – I agree

exitosa – successful

extasiados – static

extrañado – surprised

extranjero – foreigner

extranjeros – foreigners

falta – lack

ferretería – hardware store

fila – line

firmamento – firmament

forma – way

frente – forehead

fuentes – sources

fueron – were

fuerte – strong

fuerza – strength

funcionarios – officials

galería viviente – living galery

gotas – drops

grafiteros – people that makes graffities

granero – corner store

gritaban – were yealling

gritaron – yelled

guayaba – guava

guerra sin sentido – war that makes no sense

ha habido – has been

había dejado de – stopped

habrás visto – you would have seen

hacer unas vueltas – run some errands

hacia – towards

han traído – have brought

hasta nos sale – we might even make it happen

hasta trajeron – they even brought

hechas – made

hechos – made

heridas – wounds

hueco – whole

humanidad – humanity

ida – going

igualadas – equalizers

imagínate – you imagine (vos)

inaugurar – inaugurate

incluso – even

inconformes – dissatisfied

incrédulo – incredulous

ingenieros – engineers

injusta – unfair

injusticias – unfair things

inquisidoras - inquisitive

inseguridad – unsafety/unsteadiness

intrigado – intrigued

invitados – guests

juguito – juice

juntos – together

justo – just

la cara que ponen – the face they make

laderas – hillside

lejos – far

lento – slow

les tomaban – it took them

lienzos – canvas

limpias – clean

lista – ready

llamá – you call (vos)

llanto – crying

llaves – keys

llena – full

llenaba – was filling

llenarlos – fill them up

llenas – full

lo que me sale – whatever comes out

lo que se debe saber – what you are supposed to do

lograba sacar – was able to get

luchaban – fighting

madrugada – early morning

manera – way

mayor transformación – biggest transformation

me despedí – I said goodbye

me había ganado el cielo – I won the heavens (I am very lucky)

me hacía el que – I pretended that

me interesaba – I was interested

me tapé – I covered

me tiré – I threw myself

me viera – would see me

mecatear – snack

mejor – better

mensaje – message

mentirle – lie to her

meterte – get involved

metí – put inside

metro – subway

metrocable – cable car

mientras – while

mijo – short for 'mi hijo' = mi son

mirés – you look (vos)

mosca – fly

muchachos – boys and girls

mucho menos – less

muertos – dead

mural – wall

muro – wall

nada tenía sentido – nothing made sense

naturaleza – nature

nivel – level

no damos a basto – we are very busy

no le está yendo bien – you are not doing well

no lo podía creer – could not believe it

no lo pueden creer – they cannot believe it

no me lo puedo creer – I cannot believe it

no se deja – you don't leave it

no tuvieron – didn't have

no vaya a ser que te coja el hambre por ahí – in the event that you are hungry

nos dejamos – we allowed

nos dimos a conocer – we introduced ourselves

nos ganamos – we earned

nos hemos levantado – we have stood up/risen

nos hemos limpiado – we have cleaned

nos puso – put us

nos trajo – brought us

nos volveremos a caer – we'll fall again

nota – mark/grade

novedad – novelty

nuevamente – again

obligó – made me

obras – works

obreros – construction workers

ocupados – busy

oídos – ears

oigo – I hear

oleada – wave

olvidado – forgotten

olvidar – forget

olviden – forget

ondeando – waving

orgullosas – proud

oscura – dark

otra opción más que – another option but

paisas – people from Medellín

paloma – dove

palpitar – beating

papel – role

parada – stop

parceros – slang for friends

parece - seems

parecía – it looked like/it seemed

pared – wall

pasado este rato – spent this time

pasara – spend

paso – pace

pasó de ser – it went from being

pausadamente – slowly

paz – peace

pecho – chest

pelando – peeling

peligroso – dangerous

pensativo – thoughtful

peores – worse

perdido – lost

perdiéndose – getting lost

permitió alzar – allowed to rise

perpetúen – perpetuate

pertenece – belongs

pesadilla – nightmare

pides permiso – ask for permission

pidiendo ayuda – asking for help

pidió – asked

piernas – legs

plato – plate

pleno día – in broad light

poderosa – powerful

poderoso – powerful

podés – you can (vos)

polvo – dust

ponele – put

ponga atención – pay attention

pongámonos manos a la obra – hands on deck (let's get busy working)

ponía – add more

por acá – around here

por ahí – around

por aquí – around here

por la que pasó – went through

preguntás – you ask (vos)

probar – try

profundas – deep

profundo – deep

promocionarlo – promote it

propia – own

propias – own

propiedad privada – private property

propio – own

propósito claro – clear purpose

pude – I was able to

pudieran – they could

pueblo – people

pues – because

pues – well

qué tal – how is it

qué tal si – what if

quedaba – remaining

quedó – remained/became

querés – you want (vos)

quesito – type of cheese

quincena – pay day (people get paid every 15 days)

rabia – anger

rayones – scratches

rayos – rays

recibir – received

reclamar – reclaim

recoger – pick up/collect

recordar – remember

recorrido – route

redefinirse – redefine

redes sociales – social media

reescribir – re-write

Es posible soñar

reguemos la voz – spread the voice/news

reinvención – reinvention

relajan – they relax

respeto - respect

respiraba – breath

respirar – breath

revisó – checked

rezando – praying

riesgo – risk

rodean – surround

rompí fuente – my wáter broke (when you are pregnant)

ruido – noise

sábanas – blankets

sabés – you know (vos)

sacudía – shaking

sala de espera – waiting room

salir de esa situación – get out of this situation

salvos – safe

sanación – healing

sanos – healthy

saqué – I took out

se cae – you fall

se demora – it takes (time)

se ha convertido – it has become

se había ido – was gone

se hace unos pesitos – she can make some money

se logró – was possible

se me acabó – I ran out of it

se me bajó todo – my whole world suddenly froze/stood still

se sentía – it felt good

se volvieron – they became

sea – is

seguime – you follow me (vos)

seguimos diseñando – we kept designing

seguir invirtiendo – keep investing

seguramente – for sure

seguridad – safety

sepa – I know

si no le molesta – if you don't mind

si nos dan la mano – if they give us a hand

significado – meaning

simplemente me sale – it simply comes out

sin embargo – however

sin ponernos de acuerdo – without agreeing

sobresaltamos – jumped suddenly

sorprendido – surprised

sospechoso – suspicious

suave – soft/quiet

suben – go up

subir – upload

subirnos – get on

sudor – sweat

suelo – floor/ground

sufrimiento – suffering

tampoco – neither

tan – so

tanta – so much

tanto – so much

temidos – feared

temprano – early

tenés – you have (vos)

tenían algo que ver – had something to do

tenías que ver algo – you were involved

tierra – ground

tintico – small black coffee

tipo – type

tirado – laying down (thrown)

tirate – throw yourself

tomamos – we take/drink

tomó conciencia – realized

traemos – bring them

tranquilas – calm

transmitir – convey

trapos – cloths

trompa – trunk

tuteo – use of the pronoun tú

ubicada – located

una hora larga – more than an hour

unámonos – let's get together

unieron – got together

unió – united/became one

vacía – empty

vacío – emptiness/empty

valle – valley

valorando – valuing

valorás – you appreciate (vos)

vamos por esa – let's do it

vecinos – neighbours

venga – come

vení – you come (vos)

vida – live/alive

viejitos – old people

viene – com

visitados – visited

vista – gaze

volteé – I turned

volvían a abrir – would open again

vos sabés – you know

voseo – use of the pronoun vos instead of tú

vuelta – coming back

vuelto a mirar – look again

y ya – no more

ya – now

ya ni eso – not even that

ya veremos – we will see

Made in the USA
Monee, IL
03 April 2021